A CRIANÇA EM RUÍNAS

poemas

COLEÇÃO GIRA

A língua portuguesa não é uma pátria, é um universo que guarda as mais variadas expressões. E foi para reunir esses modos de usar e criar através do português que surgiu a Coleção Gira, dedicada às escritas contemporâneas em nosso idioma em terras não brasileiras.

CURADORIA DE REGINALDO PUJOL FILHO

DE JOSÉ LUÍS PEIXOTO

Morreste-me

A criança em ruínas

Nenhum olhar

O caminho imperfeito

Regresso a casa

Edição apoiada pela Direção-Geral do Livro, dos Arquivos e das Bibliotecas / Portugal

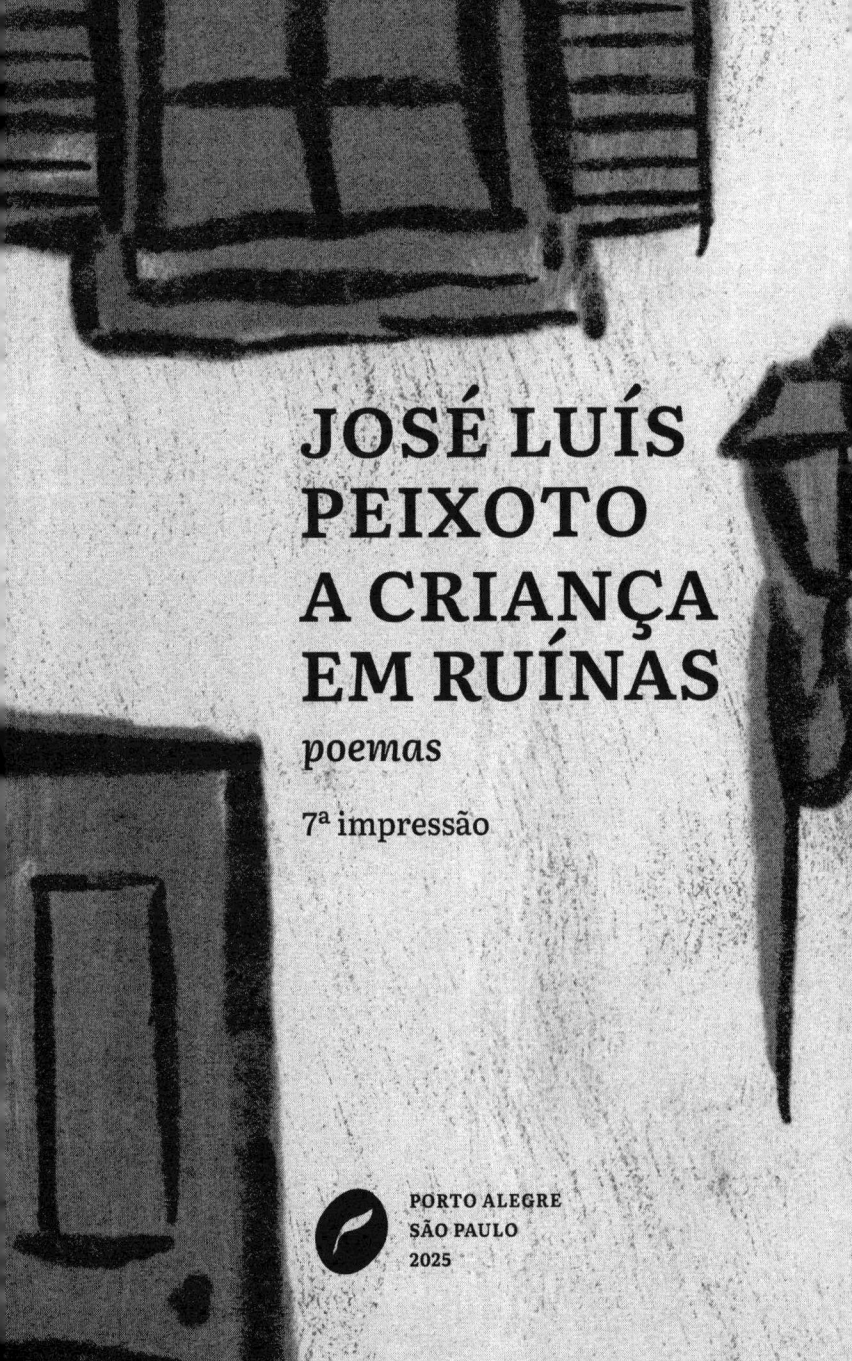

JOSÉ LUÍS PEIXOTO
A CRIANÇA EM RUÍNAS

poemas

7ª impressão

PORTO ALEGRE
SÃO PAULO
2025

ARTE POÉTICA

o poema não tem mais que o som do seu sentido,
a letra p não é a primeira letra da palavra poema,
o poema é esculpido de sentidos e essa é a sua forma,
poema não se lê poema, lê-se pão ou flor, lê-se erva
fresca e os teus lábios, lê-se sorriso estendido em mil
árvores ou céu de punhais, ameaça, lê-se medo e procura
de cegos, lê-se mão de criança ou tu, mãe, que dormes
e me fizeste nascer de ti para ser palavras que não
se escrevem, lê-se país e mar e céu esquecido e
memória, lê-se silêncio, sim, tantas vezes, poema lê-se silêncio,
lugar que não se diz e que significa, silêncio do teu
olhar de doce menina, silêncio ao domingo entre as conversas,
silêncio depois de um beijo ou de uma flor desmedida, silêncio
de ti, pai, que morreste em tudo só para existires nesse poema
calado, quem o pode negar?, que escreves sempre e sempre, em
segredo, dentro de mim e dentro de todos os que te sofrem.
o poema não é esta caneta de tinta preta, não é esta voz,
a letra p não é a primeira letra da palavra poema,
o poema é quando eu podia dormir até tarde nas férias
do verão e o sol entrava pela janela, o poema é onde eu
fui feliz e onde eu morri tanto, o poema é quando eu não
conhecia a palavra poema, quando eu não conhecia a
letra p e comia torradas feitas no lume da cozinha do
quintal, o poema é aqui, quando levanto o olhar do papel

e deixo as minhas mãos tocarem-te, quando sei, sem rimas
e sem metáforas, que te amo, o poema será quando as crianças
e os pássaros se rebelarem e, até lá, irá sendo sempre e tudo.
o poema sabe, o poema conhece-se e, a si próprio, nunca se
[chama
poema, a si próprio, nunca se escreve com p, o poema dentro de
si é perfume e é fumo, é um menino que corre num pomar para
abraçar o seu pai, é a exaustão e a liberdade sentida, é tudo
o que quero aprender se o que quero aprender é tudo,
é o teu olhar e o que imagino dele, é solidão e arrependimento,
não são bibliotecas a arder de versos contados porque isso são
bibliotecas a arder de versos contados e não é o poema, não é a
raiz de uma palavra que julgamos conhecer porque só podemos
conhecer o que possuímos e não possuímos nada, não é um
torrão de terra a cantar hinos e a estender muralhas entre
os versos e o mundo, o poema não é a palavra poema
porque a palavra poema é uma palavra, o poema é a
carne salgada por dentro, é um olhar perdido na noite sobre
os telhados na hora em que todos dormem, é a última
lembrança de um afogado, é um pesadelo, uma angústia,
[esperança.
o poema não tem estrofes, tem corpo, o poema não tem versos,
tem sangue, o poema não se escreve com letras, escreve-se
com grãos de areia e beijos, pétalas e momentos, gritos e
incertezas, a letra p não é a primeira letra da palavra poema,
a palavra poema existe para não ser escrita como eu existo
para não ser escrito, para não ser entendido, nem sequer por
mim próprio, ainda que o meu sentido esteja em todos
[os lugares

onde sou, o poema sou eu, as minhas mãos nos teus cabelos, o poema é o meu rosto, que não vejo, e que existe porque me olhas, o poema é o teu rosto, eu, eu não sei escrever a palavra poema, eu, eu só sei escrever o seu sentido.

1.

✶ na hora de pôr a mesa, éramos cinco:
o meu pai, a minha mãe, as minhas irmãs
e eu. depois, a minha irmã mais velha
casou-se. depois, a minha irmã mais nova
casou-se. depois, o meu pai morreu. hoje,
na hora de pôr a mesa, somos cinco,
menos a minha irmã mais velha que está
na casa dela, menos a minha irmã mais
nova que está na casa dela, menos o meu
pai, menos a minha mãe viúva. cada um
deles é um lugar vazio nesta mesa onde
como sozinho. mas irão estar sempre aqui.
na hora de pôr a mesa, seremos sempre cinco.
enquanto um de nós estiver vivo, seremos
sempre cinco.

✖ ainda que tu estejas aí e tu estejas aí e
eu esteja aqui estaremos sempre no
mesmo sítio se fecharmos os olhos
serás sempre tu e tu que me ensinarás
a nadar seremos sempre nós sob
o sol morno de julho e o véu ténue
do nosso silêncio será sempre o
teu e o teu e o meu sorriso a cair
e a gritar de alegria ao mergulhar
na água ao procurar um abraço que
não precisa de ser dado serão
sempre os teus e os teus e os meus
cabelos molhados na respiração
suave das parreiras sempre as tuas
e as tuas e as minhas mãos que não
precisam de se dar para se sentir
ainda que tu estejas aí e tu estejas aí e
eu esteja aqui estaremos sempre
juntos nesta tarde de sol de julho
a nadarmos sob o planar sereno dos
pombos no tanque pouco fundo da
nossa horta sempre no tanque fresco
da horta que construíram para nós
para que na vida pudéssemos ser
mana e mana e mano para sempre

✖   o teu sono anoiteceu mais que a noite
    e hei-de escrever-te sempre sem que nunca
    te escreva sei as palavras que fechaste
    nos olhos mas não sei as letras de as dizer
    ensina-me de novo se ensinares-me for
    ir ter contigo ao teu sorriso ensina-me
    a nascer para onde dormes que me perco
    tantas vezes numa noite demasiado pequena
    para o teu sono num silêncio demasiado fundo
    dormes e tento levantar a pedra que te
    cobre maior que a noite o peso da pedra que
    te cobre e tento encontrar-te mais uma vez
    nas palavras que te dizem só para mim
    o teu sono anoiteceu mais que as mortes
    que posso suportar e hei-de escrever-te
    sempre e mais uma vez sozinho nesta noite

✖ o silêncio solar das manhãs
e a magia cantada da nossa felicidade,
recordas mãe o riso aberto
das crianças na paz do nosso quintal?,
a luz filtrada pelos pessegueiros
e a luz maior e muito mais limpa do olhar,
recordas mãe a segurança
calada dos nossos abraços distantes?,
as minhas irmãs meninas, o
meu pai, o teu rosto pequeno, menina,
recordas mãe os domingos
com gasosa e uma galinha depenada?,
a tua cadela sem raça a guardar-nos
e a dormir quieta aos nossos pés,
recordas mãe como morreu
como acabaram os domingos e as manhãs
para nunca mais ser domingo
ou manhã no silêncio do nosso quintal?

✖ há o silêncio circunscrito à tua volta
e no entanto a tua pele é o silêncio
há a noite que entrou dentro de ti
e no entanto o teu interior não é onde
adormecem as crianças é onde se perdem
os cegos não é onde há lua e estrelas
é onde o negro não quer ser tão negro
existes e só és o teu absoluto vazio
um homem são os homens que o acompanham

✕ este foi o ano em que nasceste
e prolonga-se este ano os seus
meses muito grandes por ti
este foi o ano que te fez nascer
e chegaste no seu leito como
um barco carregado de rosas
um barco sem leme sem remos
que chega na força serena do rio
e na força de um dia demasiado
forte na vida na minha vida
na vida da tua mãe que te
trouxe como um barco perfumado
de pétalas a descer um rio
uma vida demasiado forte e
a nascer e a chegar no dia
exacto deste ano em que nasceste
para nós para dias e anos
de auroras e noites distantes
dias longos a nascerem como o
teu sorriso de criança a
ensinar-nos o que esquecemos ao
crescer a ensinar-nos a sorrir
de novo na vida na tua
vida que começou e se estende
neste ano sem noite sem foz
em que chegaste como um barco
de rosas na primeira luz da
madrugada

✖︎ caminha pelo teu corpo um silêncio como uma aragem
a terra estende-se infinita nos teus passos
ao passares o horizonte serás último
e partindo de mim avanças

caminha pelo teu corpo um silêncio como uma aragem
onde o lugar das palavras que esquecemos?
se o nosso mapa foi o sol e as manhãs
onde foi que nos perdemos?

caminha pelo teu corpo um silêncio como uma aragem
como um martírio triste como um homem cansado
como a morte ao fim da tarde como um rio
como um silêncio profundo a levar-te

caminha pelo teu corpo um silêncio como uma aragem
começam hoje os dias os meses os anos depois de ti
começa hoje a ser recordação apenas o quanto vivi
e partindo de mim avanças

caminha pelo teu corpo um silêncio como uma aragem
não vás porque a vida é aqui e o esquecimento é longe
mas tu não me ouves já avanças
e a noite segura-te por onde vais

caminha pelo teu corpo um silêncio como uma aragem
ainda agora partiste e és já uma memória desfocada
não vás porque a vida é aqui e o esquecimento é longe
e as minhas palavras não valem nada

caminha pelo teu corpo um silêncio como uma aragem
avanças devagar percorrendo um grande caminho
a tarde morre de repente num silêncio como uma aragem
e fico morto esquecido mutilado sozinho

✖ tu forma de homem pessoa
foste lançado na terra como
um pião das mãos de crianças
não sei não sei talvez
como uma flor espontânea
na superfície do mundo
como muitas flores na minha
pele ou dentro do meu peito
ou dentro dos meus olhos abertos
ou dentro de tudo de mim
não sei não sei talvez
tu brisa entre os assuntos
incompreensíveis brisa no
espaço vazio entre os
mistérios num tempo mais
novo do que eu e a
ultrapassar-me a deixar-me ou
não sei não sei talvez
como um tempo de inocências
ou uma só inocência no teu
olhar a suspender o céu na minha
pele ou dentro do meu peito
ou dentro dos meus olhos abertos
ou dentro de tudo de mim

mãe queremos ainda passear
e já não temos quem nos leve
perdeu-se o olhar que nos guiava
e explicava os caminhos
perdeu-se a mão dobrada pela
lâmina de tanto trabalhar que
nos amparava se as curvas
da estrada anoiteciam
mãe já não temos a camioneta
azul onde construímos casas
e vivemos tanta vida
mãe já não temos a carrinha
branca onde voltaste ao
que conhecias para conhecer
de novo onde ouvimos música
de piqueniques e risos de netas
mãe queremos ainda passear
e já não temos quem nos leve
esperamos uma madrugada
que nos apresse a entrar na
camioneta azul na carrinha branca
um conforto que chegue e nos leve
um conforto que não chega
que não chega nunca mãe

✖   entre as manhãs que sofremos, entre as esperas de tudo o que
[não nos quis,
havia uma esperança pequena.
não sabíamos que a chuva é um olhar desesperado. não
[sabíamos que o frio.
entre as manhãs que sofremos, uma lágrima.
e uma lágrima é morrer tão completamente.

éramos as crianças e a água. éramos as árvores.
as folhas das árvores, uma aragem, os pássaros a voar na nossa
[respiração.
éramos as manhãs e nós a sofrê-las, éramos uma pequena
[esperança.
não sabíamos que não se pode acreditar, nem sofrer, sem ser
[criança e água.
havia uma esperança pequena.

procurámos tudo o que não nos quis. esperámos.
entre as manhãs que sofremos. entre a chuva, o frio, as árvores,
[os pássaros.
éramos a terra triste. éramos uma aragem.
não sabíamos que uma lágrima. não sabíamos que a imensidão
da morte é maior que uma esperança pequena.

✖ a morte é esta caneta que não é os meus dedos.
lâmina, de encontro às paredes, a explodir.
um homem
invisível numa seara.
explodiram corpos de pássaros em pleno voo,
as palavras calaram-se dentro dos gritos,
e também isso é a morte.

mesmo que a primavera e as crianças,
os livros chorarão piedosamente lágrimas resolutas
e outros cardos que nunca serão os meus olhos.
e se houver nuvens, sim haverá,
ressuscitará nos meus braços um abismo que
não será o abismo dos meus braços,
e será isso a morte.

a morte: escritos, os troncos das árvores
impossíveis de ler.
um homem
invisível numa seara.
um dia maior que um mês, um ano,
a agitar tempestades dentro das sombras,
como um mistério.

> *Because I do not hope to turn again*
> *Because I do not hope*
> *Because I do not hope to turn*
> T. S. Eliot, *Ash Wednesday*

✖ não te pergunto de onde chegas?,
porque sei para onde vais.
hoje é a hora exacta em que até o vento
até os pássaros desistem.
e a noite a teus pés é um instante
e um destino.

não te pergunto onde está o teu rosto,
tantas vezes ocluso e pisado sob os ramos,
onde está o teu rosto?
nem te peço que incendeies o teu nome
numa nuvem nocturna,
nem te procuro.

és tu que me encontras.
ficas no rio que passa,
nada de um tempo que não existe,
nem correntes, nem pedra, nem musgo.
nem silêncio.

✖ tudo será arrumado um dia.
os segredos serão organizados nas indeléveis palavras.
as aves de outrora existirão nas folhas paginadas,
na pele e nos planaltos.
as aves, os pombos, as cegonhas, planarão
dentro da terra e da cinza dos arquivos.

o pó será organizado um dia.
cada homem será uma chama nas estantes das bibliotecas.
os olhares, os gestos, o que não soubemos explicar, as mãos,
serão fumo por ordem alfabética.
um dia, depois de mim,
estes versos serão ossos
mudos e incompreensíveis.
as flores sufocarão no ar que respirei.
as árvores crescer-me-ão do peito.

e quando as paredes mortas, o céu,
forem só esta mesa onde escrevo,
serei o lugar vago de mim e os meus passos
a subir, a descer, uma escada plúmbea.
e quando a noite, acordarão as sombras
na sua ordem perfeita
e incandescente.

✖︎ vejo na minha caligrafia as escadas do meu destino.
aquela casa tão grande com um quintal de galinhas
a morrerem ciclicamente. as malvas entristecidas
em canteiros já sem esperança. e em cada estrofe de
estar sentado perante a paisagem, o poema único e final.
as mulheres arrastam as tardes pelos versos, como
lembranças a arder em todas as noites da minha vida.
quem pode esquecer as tardes, se os ramos das laranjeiras
eram inesquecíveis? cada palavra possui um palmo desse
quintal infinito.

a fruteira sobre a mesa da cozinha é sangue no poema.
o meu destino emparedou-se, e um destino é para sempre.
as minhas mãos estendidas são atravessadas pela luz
que mostra no ar a dança do pó. respondo tantas coisas aos
talheres guardados na gaveta.

chegam as vozes que nunca partiram. chegam os rostos
que sonho quando acordo de repente a chorar. agora,
és o homem da casa, disseram-me. e já não havia casa.

a mãe passa um ano, como as crianças que ainda brincam
numa rua imaginária passam as horas. mãe inocente
e humilhada pelo céu e pelas estrelas, pelos cães a ladrarem
ao longe, pelas mulheres a caiarem paredes, pelos sinos
que nos chamam e pela estrada do cemitério. mãe,

vida multiplicada, como se o teu corpo se rasgasse e a carne fosse a terra e as palavras, e os ossos fossem os ramos das laranjeiras e as palavras.

felizmente, há os versos, último esconderijo da pureza. porque o destino são os versos e os pombos que cruzam o céu em círculos que sempre regressam.

as minhas irmãs semeiam pensamentos na escuridão absoluta das manhãs. este é o dia presente, esta é a hora presente. agora, neste instante, sobre esta letra última, repousa o peso dos teus cabelos. os nossos sonhos atravessam a janela e estendem-se no chão, vêm do céu, desenham-nos as sombras rente aos corpos velhos e sem uso. tomamos banho. a água. a água. os nossos sonhos dissolvem-se lentamente onde os esquecemos.

estou na casa onde as memórias se sentam nas cadeiras para jantar em pratos invisíveis. aquele quadro é bonito. aquela jarra foi comprada na feira de outubro. aquele livro tem palavras que não significam nada.

existe uma fruteira na mesa onde a mãe serve todos os dias o meu destino. existe um corredor a lembrar todos os dias a solidão povoada. existe papel e versos. existe tudo aquilo

que não digo, que não sei dizer, que está na minha caligrafia,
que está ordenado nas folhas de tantos outonos do quintal
                              [abandonado.
existe uma mesa, uma lareira apagada, as mãos, uma
sepultura sozinha no cemitério, os olhos, os ossos, a minha
pele e as horas escritas no futuro impossível.

✖   estou sozinho de olhos abertos para a escuridão. estou sozinho.
estou sozinho e nunca aprendi a estar sozinho. estou sozinho.
sinto falta de palavras. estou sozinho. estou sozinho.
sinto falta de uns olhos onde possa imaginar. estou sozinho.
sinto falta de mim em mim. estou sozinho. estou sozinho.
estou sozinho.

✖ ninguém.

2.

◍   quando nasci. esperava que a vida.
    me trouxesse. a terra. quando nasci.
    esperava que a vida. me trouxesse.
    as árvores. e os pássaros. e as crianças.
    quando nasci. tinha o mundo. todo.
    depois dos olhos. depois dos dedos.
    e não percebi. não percebi. nada.
    nunca imaginei. quando nasci. que a vida.
    quando nasci. já era a escuridão. a escuridão.
    em que estava. quando nasci.

olho as minhas mãos. nas minhas mãos tudo passa.
duas planícies desertas. ruínas. o que ficou para trás.
uma menina que caminhou sozinha nas minhas mãos e
que perdeu a sombra. um inverno distante que esqueceu
a solidão entre os meus dedos. nas minhas mãos tudo passa
e tudo morre. nas minhas mãos tudo sufoca até ser nada.
jardins que as minhas mãos arrasam. mundos inteiros que
as minhas mãos devastam. nas minhas mãos tudo passa.
as minhas mãos são uma noite insípida e vazia. são uma
noite cheia de gente como cadáveres ou fantasmas.
as minhas mãos foram mesa e não eram mesa. foram cama
e não eram cama. nas minhas mãos tudo passa.
um homem de boas intenções viveu nas minhas mãos.
viveu e caiu cansado na palma das minhas mãos. vejo
esse homem e vejo-me através dos seus olhos. agoniza.
olha-me com pena. morrerá quando as minhas mãos
morrerem.

espelho, és a terra onde as raízes rebentam de mistérios.
repetes as perguntas que te faço, porquê?, repetes
os olhares sem fim das coisas paradas. repetes o meu olhar.
espelho, és a parede e a pele cansada, és um silêncio a morrer
[a noite,
és o que ninguém quer, a verdade mais triste e cansada por
[dentro.
repetes as perguntas que te faço, porquê?, repetes
a desgraça, a miséria e o desespero.
espelho, quis conhecer-te e perdi-me de ti.

- estou deitado sobre a minha ausência,
  como poderia estar deitado se existisse.
  amanhã as ondas imitar-me-ão na praia.

○ entre mim e o meu silêncio há gritos de cores estrondosas
e magias recortadas dos sonhos que acontecem naturalmente.
eu sou a cama onde me deito, todas as noites diferente,
eu sou o sorriso estridente dos pássaros no céu todo,
eu sou o mar, o oceano velho a abrir a boca numa
gruta que assusta as crianças e os homens que conhecem
o mundo. eu sou o que não devia ser e rio, rio,
rio, porque sou puro, porque sou um pouco da alegria,
porque mil mãos e dez mil dedos me percorrem o corpo
e me beijam. entre mim e o meu silêncio há uma
confusão de equívocos que não entendo e não admito.
sou arrogante, porque sou do país em que inventaram
a arrogância. sou miserável. que sei eu? sou um viajante
com destino traçado, como o fumo deste cigarro que
desaparece indeciso e já esqueceu de onde veio. e rio,
rio, rio, perdido e desalmado, de dentes sujos e quase
doente, porque minha é esta esperança e esta vontade
de nascer em cada manhã, em cada rosto, em cada
fósforo aceso, em cada estrela. rio, rio, rio, porque meu
é o amor e o luto e a fome e todas as coisas
que fazem esta vida que não entendo e persigo.
eu sou um homem vivo a sentir cada pedra,
eu sou um homem vivo a sentir cada montanha,
eu sou um homem vivo a sentir cada grão de areia.
desordenadamente, eu sou alguém que é eu sem o saber,
entre mim e o meu silêncio há um desentendimento
esculpido nas flores e nas nuvens, rio, rio, rio,
eu sou a vida e o sol a iluminar-me.

◆ quantas vezes apostaste a tua vida?
apostei a minha vida mil vezes.
perdeste tudo?
sim, perdi sempre tudo.

a primavera chegou antes do tempo a esta sala.
entra pela janela a sua luz e é isso que escrevo.
o fumo dos cigarros, tão oposto à primavera,
lembra-me que desejei ser outra coisa noutro lugar,
talvez um navio quis eu ser, talvez uma aragem.
sei que para tal me bastava escrevê-lo mas perdi
as forças no momento de o dizer e a folha branca
ardeu diante de mim incendiada por um deus distante.
a primavera chegou iluminada e, confirmo no relógio
de bolso e no calendário de parede, é ainda inverno
e álvaro de campos diz-me não sou nada, álvaro
de campos diz-me nunca serei nada, diz-me não posso
querer ser nada, e estou só e muito longe de
todos esses que fazem as ruas caminhando,
e a única semelhança que temos é fumarmos
cigarros que nos matarão antes de tempo,
eu de propósito, eles sem querer, morreremos
talvez sem notarmos que morremos muitas vezes
e que levamos camadas de luto sobrepostas na pele.
a primavera chegou e não me trouxe mais do que
saber que todos vós homens honestos passam
na sala para lá da minha janela aberta e, fechados,
ainda hoje não ouviram a voz de álvaro de campos
porque o silêncio das vossas palavras vos impede
de ouvir as palavras dele dentro das vossas.
eu fumo cigarros intermináveis e o meu olhar
desenha fumo na luz e os meus dedos largam cinza

nas primeiras exigências da primavera.
tudo sonhei, napoleão nero, tudo sonhei e tudo
se perdeu nos braços vazios desse menino a
embalar outro menino, ah, se eu pudesse imolar-te
menino que fui e todos os teus sonhos de não
saber senão sonhar, se eu pudesse tornar-te na
memória de um que morreu antes de nascer e
que ficou no precipício de poder ter sido tudo.
sim, a primavera, sim, chegou a primavera e a
irritação solene das andorinhas a voarem tristes.
ardem-me cigarros entre os dedos e eu sou esta
figura de fumo a mexer-se pesada no ar da sala,
este corpo grande de fumo a desfazer-se e a ser
cada vez mais denso a cansar cada vez mais
e a recordar-me tantos rostos que quero esquecer
e tu, lídia diotima desdémona dulcineia, quando a
tua cara se o inverno se recusa onde o teu rosto,
se esta sala é só a escuridão de eu não ser nada,
chegarás da rua e trarás na face todos os sorrisos
e todos os olhares desses com que partilho a desgraça
de pertencer à espécie dita humana e que reneguei,
obrigar-me-ás a abraçar-te tocando com nojo todos esses
que desprezo como desprezo a peste e a lepra,
não te direi sou nada, não te direi nunca serei nada,
não te direi não posso querer ser nada, as minhas mãos
tornar-se-ão dois silêncios cinzentos a minguar dentro
das paredes de fumo a matar-me a matar-me a matar-me,

duas mãos assassinas a apertar-me o pescoço,
a rasgar-me e a expor-me finalmente a esta luz.
é primavera é primavera e eu quero por força morrer.
não sou nada, nunca serei nada, não posso querer ser nada.
fumo, e a minha dor é ser tarde demais para desistir vencendo,
a minha dor é saber o que inventei de hoje no começo
das manhãs de sábado, nos primeiros dias da primavera
de ser eu o mundo e o sol ser eu a sonhar este dia.
a minha dor é esta primavera que nasce e me mostra
que o inverno se instalou definitivamente dentro de mim.

estou sentado numa cadeira simples
numa varanda debaixo de um
telhado de telhas e chove à minha
volta sou demasiado novo e cansado
cansado e sem força de nunca ter
feito ou dito nada cansado de
tempo de vácuo lâmpada de lusco-fusco
idade de domingos cinzentos de
nuvens cinzentas sem céu chuva
demasiado novo e velho demais sem
força de estar sempre sentado numa
cadeira que me deram numa
varanda que construíram sobre mim
debaixo de um telhado telha por telha
sem história e sou criança e sou
logo velho e só passou um domingo
longo de horas infinitas até ao último
minuto sem força de membros inúteis
cansado como a chuva que cai para
nada

entre as palavras da minha voz, as minhas palavras, renasce
                                                                 [um silêncio
rasgado da morte. cresce um vazio no que em mim é vazio.
                                                                          [sou a erosão
de mim próprio. minto-me. nego cada brisa das minhas mãos,
                                                                                 [que não
são minhas, das minhas lágrimas, que não são minhas, das
                                                                                     [minhas palavras.
eu não sou eu. eu sou uma parede a morrer. eu sou uma
                                                                                   [árvore a morrer.
eu sou um céu morto. venceu-me o inverno e lutei a seu lado
                                                                                       [para me
destruir. nunca fui criança. nunca encontrei ingenuidade ou
                                                                                    [arrependimento.
hoje, cadáver insepulto, despeço-me sem mágoa do que não
                                                                             [fui. sou a erosão
de mim próprio e isso basta-me. sou o holocausto dentro de
                                                                                      [mim. sou um
incómodo desnecessário. sou um erro propositado e sou erro
                                                                                     [maior por isso.
entre as palavras da minha voz, as minhas palavras, renasce
                                                                                       [um silêncio
rasgado da morte. envelhecem estas palavras já velhas.
                                                                             [a minha vida é o
tempo de matar-me e de repeti-lo em palavras como um
                                                                                         [ridículo.

há saudade para sentir como há livros nas prateleiras a fechar
[mundos,
o fumo que fumo dos cigarros envelhece no ar e apodreço
[por dentro,
a noite arde o seu negro e chicoteia-me com esse fogo preto de
[saudade
martirizada no lago nocturno do meu peito, saudade sofrida
[das margens de cinza
ou dos livros fechados nas prateleiras e no incêndio interior
[das suas histórias,
amanhã, depois da noite, vou abrir esses livros e o meu peito,
[e vou ler um peito
vazio e páginas em branco, amanhã, o meu coração partiu
[exilado na memória e
as histórias escritas ficaram soterradas nas sombras negras
[desse fogo preto,
hoje, nesta noite que é as minhas mãos desertas e a areia a
[levar-me clandestino
numa tempestade na minha pele, hoje, diz-me a noite e os livros
[e o fumo que
sou um imigrante dentro de uma estrela, de um parágrafo, de
[uma rodela de fumo
a subir as escadas do ar, a ondular como um oceano e a
[desaparecer sobre si própria,
há saudade para sentir e mortes encadeadas e a obsessão das
[palavras noite livros

fumo noite livros fumo noite livros fumo, eu e um lírio
                                                        [emparedados no vácuo
destas palavras, o poema circunscrito pela fronteira de noite
                                                  [livros e fumo, a saudade
e o poema escritos numa janela aberta para o frio como um
                                                     [poço para a noite,
a saudade e o poema sob a lâmina da guilhotina de um livro
                                                        [a espalhar solidão,
o poema e a saudade a subir as escadas do ar, a ondular como
                                                          [um oceano e a
desaparecer como uma rodela de fumo, um parágrafo ardido,
                                                          [uma estrela no inverno

como não tenho lugar no silêncio onde morrem as gaivotas,
despeço-me no oceano e deixo que o céu me conheça.
talvez a serenidade possa ser as minhas mãos a serem uma
brisa sobre a terra e sobre a pele nua de uma mulher.
esse dia, esperança de amanhã, poderá chegar e estarei
[dormindo.
hoje, sou um pouco de alguma coisa, sou a água salgada
que permanece nas ondas que tudo rejeitam e expulsam
na praia. as gaivotas sobrevoam o meu corpo vivo. os meus
cabelos submersos convidam o silêncio da manhã, raios de
[sol atravessam
o mar tornados água luminosa. aqui, estou vivo e sou alguém
muito longe.

◆ estou só numa praça vazia sem mim
ao meu lado um livro que nada mais
tem a dizer numa praça que acordou
antes da cidade para esta hora negra
da manhã dou palavras aos pombos
dou-lhes o significado do meu nome
distribuo-me aos pombos nestas pedras
negras de inverno numa manhã tão longe dos
domingos a brincar no chão da cozinha
tão longe do dia bem vestido e nervoso
do casamento numa praça ao lado de
um livro que nada mais tem a dizer

◆ eram as estrelas, caminhante,
o mapa que não soubeste decifrar
mas vais continuar e continuar
perdido para sempre.

3.

*   fico admirado quando alguém, por acaso e quase sempre
sem motivo, me diz que não sabe o que é o amor.
eu sei exactamente o que é o amor. o amor é saber
que existe uma parte de nós que deixou de nos pertencer.
o amor é saber que vamos perdoar tudo a essa parte
de nós que não é nossa. o amor é sermos fracos.
o amor é ter medo e querer morrer.

* tenho aquela que me olha e que olho
e misturamo-nos como brisas e
silêncios e digo tenho aquela que
me vê e ela olha-me e tudo o
que somos é uma partilha uma
mistura e digo diz e aquela que
tenho beija-me num olhar e num
silêncio que não posso dizer

* não posso encontrar mais
que as nossas vozes
entrançadas onde não
posso encontrar mais
que o nosso tempo
recortado do tempo todo
do silêncio das palavras
da manhã do dia em
que não posso encontrar
mais que o teu rosto
que o teu rosto que
a brisa breve e definitiva
do teu rosto na espiral
constante de te amar e
te sofrer noites insones
de não posso encontrar
mais que e não posso
encontrar mais que o
teu sorriso discreto o
círculo do teu olhar e
em duelo comigo próprio
não posso encontrar mais
que a nave perdida o jardim
das palavras que te tentam
do silêncio da manhã do
dia em que não posso
encontrar mais que as

nossas vozes entrançadas
porque não posso encontrar
mais não posso encontrar
mais

não quero

* pergunto se posso dizer o teu nome a uma flor
flor o teu nome sussurrado pétala a pétala
letra a letra uma flor desfolhada na terra

✳   subimos a torre eiffel

    devagar no elevador
    suave no toque lento
    da tua voz suave
    devagar nas escadas
    calmas no eco lento
    dos teus dedos calmos
    subimos a torre eiffel

    subimos e encontramo-nos
    na certeza

    paris espraia-se no mundo
    todo vive cresce estende-se
    na superfície toda do mundo
    que vive e corre nas ruas
    nas estradas debaixo de
    nós dentro das nossas veias
    no nosso coração a bombear
    luz e paris na noite tão
    distante

    subimos

    devagar uma brisa
    nos teus cabelos nas minhas mãos

devagar uma brisa
na tua pele nas minhas mãos

subimos

paris é a sombra imensa
de nós

✱ o marulhar do teu
silêncio no corpo maciço
do sena
o crescer do teu
abraço de mãe no morno
do peito
e
silêncio
e
a brisa do teu
olhar a brisa que
passa que passa que
fica no puro de ti
a tua brisa de pedra
o sopro suave de pedra
no sacré-coeur de luz
na notre dame de água
o sopro o tudo que
tornas sempre para sempre
e
silêncio
e
uma tela de
manhã no louvre
do teu sorriso

✳︎　era sangue nas mãos deles do teu
ventre inês as árvores agitaram-se
mais outras mais unas com o teu
sentido também a noite germinal
de ventos e o teu ventre vento
fecundo inês no silêncio do nosso
filho no seu olhar de água correntes
limpas mondego sob a tua pele
era sangue no punhal que te abriu
para te matar para tirar de ti o
filho nosso mais nosso era sangue
o nosso filho a sair de ti a tua
força a rebentar infernos nas
brisas entre o verde das plantas
a fazer crescer gritos gritos
a fazer crescer gritos nas vozes
frágeis dos pássaros entre a noite
e as folhas próximas e paradas
inês fecharam-se os portões de
ferro sobre nós fechou-se uma
prisão a separar-nos sempre era
sangue na noite em que trouxeste
o amor inês era sangue no teu
corpo que respirei era no teu
corpo morrer nascer sangue
e morrer nas mãos deles
sangue do teu ventre inês

* hoje não há vento e posso ver-te melhor
adormeceu o nosso filho nos teus braços
e és manhã cedo olhar fluvial que
se estende sempre à minha pele e
a toca como se fosse pele de tocar e
sentir mesmo ou tivesse valor esta pele
adormeceu o nosso filho no teu retrato
hoje não sofro e posso dizer-te
sobre os campos sobre a terra seca
que engoliu toda a chuva dos dias que
passaram a terra suspensa debaixo
dos pés e digo paz digo eu que fecho
o amor simples da tua beleza grandiosa
digo paz e o céu sopra o voo planado
de muitos pássaros pequenos e simples
que nunca poderão entender a serenidade
grandiosa do céu adormeceu o nosso filho
em ti e tu e ele são o que respiro neste dia
sem vento e para mim não quero mais que
este instante parado

* não quero mentir mais. estou cansado de mentir.
vejo o teu rosto parado numa fotografia e a memória
que guardo de ti é tão diferente da realidade assustadora das
[fotografias.
mas não vou mentir. estou cansado de mentir.
a minha vida também és tu, o teu rosto parado na minha
[memória.
a minha vida és tu e todas as mãos que me seguraram e me
[quiseram,
todos os lábios que me beijaram, todas as línguas que me
[desenharam figuras
na pele, todos os dentes que me morderam, todas as vozes que
[me disseram amo-te
e me fizeram acreditar nisso. não quero mentir mais. estou
[cansado de mentir.
não és quase nada, mas não quero e não vou fingir que nunca
[exististe.

✽   no tempo em que éramos felizes não chovia.
levantávamo-nos juntos, abraçados ao sol.
as manhãs eram um céu infinito. o nosso amor
era as manhãs. no tempo em que éramos felizes
o horizonte tocava-se com a ponta dos dedos.
as marés traziam o fim da tarde e não víamos
mais do que o olhar um do outro. brincávamos
e éramos crianças felizes. às vezes ainda
te espero como te esperava quando chegavas
com o uniforme lindo da tua inocência. há muito
tempo que te espero. há muito tempo que não vens.

* dá-me alguma da tua pele terra
tu que não me pedes nada e
me apareces de noite vestida de
nudez pele terra e me abres caminhos
para que te conheça dá-me algum
do silêncio que me dás para que
nele te diga pele terra se de noite
me apareces iluminada de muitos
pássaros a nascer e a voar a
nascer e a voar silêncio pele terra
para que te conheça dá-me o que
dás a todos e nunca deste senão
a mim pele terra tu que me dás
os gestos das minhas mãos
a música das minhas palavras que
me dás pele terra esconde-te
dentro de mim

✳ se esta é a história de dois que se resgataram da vida,
ele é o que chegou de lado nenhum para conhecer o
céu dos teus olhos, o mar dos teus olhos e a paz tantas vezes,
ele é a brisa na pulsação lenta da terra constante constante
nos teus cabelos nos teus cabelos, se esta é a história
se esta é a história de dois que se enredaram na vida,
como água de mergulhar, água que refresca na pele,
como água que se bebe num copo de vidro e se bebe
como água desejosa de morrer e com medo de morrer,
ela é a claridade que o meu olhar atravessa, o sol vivo e criança,
a manhã primeira a procurar-me e a ser o meu sossego,
ela é a que chegou santificada a caminhar imaterial acima
através por sobre mim dentro de mim dentro do meu coração,
o ritmo sereno do teu rosto calmo aqui no meu peito,
no meu coração e ela ela é toda esta história cantada
por pássaros a voar nos teus cabelos e ele repetido por mim
é a terra no meu peito, o meu peito cheio de terra,
se esta é a história de dois que mergulharam mortos na vida,
que a beberam num copo de vidro, és tu que o sonhas
e lhe dás o céu que ele respira e sou eu num sonho
que recebo e respiro o céu que ela me dá

* estou aqui. esta mesa. tu estás sentada num sofá que só posso
 [imaginar
tens os lábios pintados com o batom que te dei e sorris para
 [um homem
que tem mais trinta anos que tu. à tua volta todos sorriem.
 [ninguém olha
para a tua pele com os meus olhos. o homem diz-te coisas e
 [tu sorris sempre,
o homem pousa-te a mão sobre a perna, o homem pousa-te
 [a mão sobre os
cabelos e não sabe que, num dia que passou, só eu podia fazer
 [isso. levantas-te
e o homem levanta-se atrás de ti. tens no dedo o anel em forma
 [de coração
que te dei, tens no pescoço o fio de criança que te dei nos anos.
 [sorris.
estou aqui. esta mesa. fecho os olhos e vejo-te fechar a porta
 [do quarto.

✱   ultimamente não consigo dormir e não consigo acordar. ontem
já muito de noite nas horas em que posso estar ainda mais
sozinho, sentei-me ao lume e lembrei-me de quando ficávamos
juntos à porta da tua avó e para as pessoas que passavam
éramos namorados. dizíamos conversas só nossas e
às vezes beijávamo-nos. sentei-me ao lume e pensei no teu
corpo quando te abraçava e pensei que talvez naquele momento
um homem estivesse a ter prazer dentro de ti. hoje
sentei-me parado com as mãos paradas, com o rosto parado e
lembrei-me da tua pele tão suave, dos teus dedos bonitos,
dos teus olhos de menina e penso que talvez neste momento
                                                                    [esteja
um homem a ter prazer dentro de ti.

* todo o amor do mundo não foi suficiente porque o amor não
[serve de nada. ficaram só
os papéis e a tristeza, ficou só a amargura e a cinza dos
[cigarros e da morte.
os domingos e as noites que passámos a fazer planos não foram
[suficientes e foram
demasiados porque hoje são como sangue no teu rosto, são
[como lágrimas.
sei que nos amámos muito e um dia, quando já não te
[encontrar em cada instante, em cada hora,
não irei negar isso. não irei negar nunca que te amei. nem
[mesmo quando estiver deitado,
nu, sobre os lençóis de outra e ela me obrigar a dizer que a amo
[antes de a foder.

* esse filho só de sangue que te escorre pelas pernas sou eu. podíamos ter-lhe ensinado as palavras, mas o seu nome é agora de sangue. podíamos ter-lhe mostrado o céu, mas o seu olhar é agora de sangue. podíamos ter fechado a sua mão pequena dentro da nossa, mas a sua mão é agora de sangue. esse filho só de sangue que te escorre pelas pernas e morre sou eu, o meu sangue e a minha memória.

✼ o barco avança sem destino.
as noites, os dias. o barco avança sem destino.
o oceano é infinito.

*   quando os nossos corpos se separaram olhámo-nos quase a
[desejar ser felizes.
vesti-me devagar, o corpo a ser ridículo. disse espero que
[encontres um homem
que te ame, e ambos baixámos o olhar por sabermos que esse
[homem não existe.
despedimo-nos. tu ficaste para sempre deitada na cama e nua,
[eu saí para sempre
na noite. olhámo-nos pela última vez e despedimo-nos sem
[sequer nos conhecermos.

*   no papel, as palavras escondidas, as nuvens.
    dizes não posso ser o mundo hoje, esqueces que
    tu és o mundo. dizes não posso, e eu gostava que
    soubesses sempre que um lamento dentro de mim
    te repete. abro o papel dobrado e abro a noite
    no céu. as árvores são distantes, as palavras
    e talvez a música, a terra é distante no
    papel dobrado que me entregas escondido
    na mão.

✳ fingir que está tudo bem: o corpo rasgado e vestido
com roupa passada a ferro, rastos de chamas dentro
do corpo, gritos desesperados sob as conversas: fingir
que está tudo bem: olhas-me e só tu sabes: na rua onde
os nossos olhares se encontram é noite: as pessoas
não imaginam: são tão ridículas as pessoas, tão
desprezíveis: as pessoas falam e não imaginam: nós
olhamo-nos: fingir que está tudo bem: o sangue a ferver
sob a pele igual aos dias antes de tudo, tempestades de
medo nos lábios a sorrir: será que vou morrer?, pergunto
dentro de mim: será que vou morrer?, olhas-me e só tu sabes:
ferros em brasa, fogo, silêncio e chuva que não se pode dizer:
amor e morte: fingir que está tudo bem: ter de sorrir: um
oceano que nos queima, um incêndio que nos afoga.

* ninguém pode saber que este poema é teu.
ninguém pode saber. ninguém pode saber
que este poema. ninguém. este poema é teu.
sou uma coisa da qual se tem vergonha.

✳ um dia, quando a ternura for a única regra da manhã,
acordarei entre os teus braços. a tua pele será talvez demasiado
[bela.
e a luz compreenderá a impossível compreensão do amor.
um dia, quando a chuva secar na memória, quando o inverno
[for
tão distante, quando o frio responder devagar com a voz
[arrastada
de um velho, estarei contigo e cantarão pássaros no parapeito da
nossa janela. sim, cantarão pássaros, haverá flores, mas nada
[disso
será culpa minha, porque eu acordarei nos teus braços e não
[direi
nem uma palavra, nem o princípio de uma palavra, para não
[estragar
a perfeição da felicidade.

✳ o tempo, subitamente solto pelas ruas e pelos dias,
como a onda de uma tempestade a arrastar o mundo,
mostra-me o quanto te amei antes de te conhecer.
eram os teus olhos, labirintos de água, terra, fogo, ar,
que eu amava quando imaginava que amava. era a tua
a tua voz que dizia as palavras da vida. era o teu rosto.
era a tua pele. antes de te conhecer, existias nas árvores
e nos montes e nas nuvens que olhava ao fim da tarde.
muito longe de mim, dentro de mim, eras tu a claridade.

✳︎ vamos separar-nos. nada nunca mais me trará
os teus olhos ou os teus dedos ou tantas coisas
que eram palavras. nada, nunca mais, manhã após
manhã, te mostrará o meu rosto a acordar. nem as
estrelas, nem a cama antes de adormecer. nada.
vamos separar-nos, e nada nunca mais nos poderá
unir, nem mesmo o tempo, nem mesmo a morte.

* não. ninguém saberá o que aconteceu.
estou muito cansado.
apetece-me dormir até morrer.

Índice

Arte poética   5

1.
na hora de pôr a mesa, éramos cinco:	10
ainda que tu estejas aí e tu estejas aí e	11
o teu sono anoiteceu mais que a noite	12
o silêncio solar das manhãs	13
há o silêncio circunscrito à tua volta	14
este foi o ano em que nasceste	15
caminha pelo teu corpo um silêncio como uma aragem	16
tu forma de homem pessoa	18
mãe queremos ainda passear	19
entre as manhãs que sofremos, entre as esperas de tudo o que não nos quis,	20
a morte é esta caneta que não é os meus dedos.	21
não te pergunto de onde chegas?,	22
tudo será arrumado um dia.	23
vejo na minha caligrafia as escadas do meu destino.	24
estou sozinho de olhos abertos para a escuridão. estou sozinho.	27
ninguém.	28

2.
quando nasci. esperava que a vida.   30
olho as minhas mãos. nas minhas mãos tudo passa. 31
espelho, és a terra onde as raízes rebentam
   de mistérios.   32
estou deitado sobre a minha ausência,   33
entre mim e o meu silêncio há gritos
   de cores estrondosas   34
quantas vezes apostaste a tua vida?   35
a primavera chegou antes do tempo a esta sala.   36
estou sentado numa cadeira simples   39
entre as palavras da minha voz, as minhas
   palavras, renasce um silêncio   40
há saudade para sentir como há livros nas
   prateleiras a fechar mundos,   41
como não tenho lugar no silêncio onde
   morrem as gaivotas,   43
estou só numa praça vazia sem mim   44
eram as estrelas, caminhante,   45

3.
fico admirado quando alguém, por acaso
   e quase sempre   48
tenho aquela que me olha e que olho   49
não posso encontrar mais   50
pergunto se posso dizer o teu nome a uma flor   52
subimos a torre eiffel   53
o marulhar do teu   55

era sangue nas mãos deles do teu	56
hoje não há vento e posso ver-te melhor	57
não quero mentir mais. estou cansado de mentir.	58
no tempo em que éramos felizes não chovia.	59
dá-me alguma da tua pele terra	60
se esta é a história de dois que se resgataram da vida,	61
estou aqui. esta mesa. tu estás sentada num sofá que só posso imaginar	62
ultimamente não consigo dormir e não consigo acordar. ontem	63
todo o amor do mundo não foi suficiente porque o amor não serve de nada. ficaram só	64
esse filho só de sangue que te escorre pelas pernas	65
o barco avança sem destino.	66
quando os nossos corpos se separaram olhámo-nos quase a desejar ser felizes.	67
no papel, as palavras escondidas, as nuvens.	68
fingir que está tudo bem: o corpo rasgado e vestido	69
ninguém pode saber que este poema é teu.	70
um dia, quando a ternura for a única regra da manhã,	71
o tempo, subitamente solto pelas ruas e pelos dias,	72
vamos separar-nos. nada nunca mais me trará	73
não. ninguém saberá o que aconteceu.	74

Copyright © 2001 José Luís Peixoto
Edição publicada mediante acordo com Literarische Agentur Mertin, Inh.
Nicole Witt, Frankfurt, Alemanha

Revisado segundo o Novo Acordo Ortográfico da Língua Portuguesa.
Nos casos de dupla grafia, foi mantida a original.

CONSELHO EDITORIAL
Gustavo Faraon, Rodrigo Rosp e Samla Borges
PREPARAÇÃO E REVISÃO
Rodrigo Rosp
CAPA E PROJETO GRÁFICO
Luísa Zardo
FOTO DO AUTOR
Patrícia Pinto

DADOS INTERNACIONAIS DE
CATALOGAÇÃO NA PUBLICAÇÃO (CIP)

P379c Peixoto, José Luís.
A criança em ruínas / José Luís Peixoto.
— Porto Alegre : Dublinense, 2017.
80 p. ; 19 cm.

ISBN: 978-85-8318-093-7

1. Literatura Portuguesa. 2. Poesia
Portuguesa. I. Título.

CDD 869.19

Catalogação na fonte:
Ginamara de Oliveira Lima (CRB 10/1204)

Todos os direitos desta edição
reservados à Editora Dublinense Ltda.
Porto Alegre • RS
contato@dublinense.com.br

Descubra a sua próxima
leitura na nossa loja online

dublinense .COM.BR

Composto em MINION e impresso na PRINTSTORE,
em AVENA 90g/m², no VERÃO de 2025.